SAC... ...Y

Y0-BSL-311

SACRAMENTO, CA 95819

5/2018

WITHDRAWN FROM COLLECTION
OF SACRAMENTO PUBLIC LIBRARY

JULIO

CORTÁZAR

REUNIÓN

ENRIQUE

BRECCIA

JULIO

CORTÁZAR

REUNIÓN

Ilustraciones

ENRIQUE

BRECCIA

LIBROS DEL ZORRO ROJO

GRAN

ENRIQUE BRECCIA

★

REUNIÓN

Recordé un viejo cuento de Jack London,
donde el protagonista, apoyado en un tronco
de árbol, se dispone a acabar con dignidad
su vida.

Ernesto «Che» Guevara, *La sierra y el llano,*
La Habana, 1961.

Nada podía andar peor, pero al menos
ya no estábamos en la maldita lancha, entre vómitos y golpes
de mar y pedazos de galleta mojada, entre ametralladoras y
babas, hechos un asco, consolándonos cuando podíamos con
el poco tabaco que se conservaba seco porque Luis (que no
se llamaba Luis, pero habíamos jurado no acordarnos de nuestros nombres hasta que llegara el día) había tenido la buena
idea de meterlo en una caja de lata que abríamos con más
cuidado que si estuviera llena de escorpiones. Pero qué tabaco
ni tragos de ron en esa condenada lancha, bamboleándose
cinco días como una tortuga borracha, haciéndole frente a un
norte que la cacheteaba sin lástima, y ola va y ola viene, los
baldes despellejándonos las manos, yo con un asma del demonio y medio mundo enfermo, doblándose para vomitar como
si fueran a partirse por la mitad. Hasta Luis, la segunda noche,
una bilis verde que le sacó las ganas de reírse, entre eso y el
norte que no nos dejaba ver el faro de Cabo Cruz, un desastre

que nadie se había imaginado; y llamarle a eso una expedición
de desembarco era como para seguir vomitando pero de pura
tristeza. En fin, cualquier cosa con tal de dejar atrás la lancha,
cualquier cosa aunque fuera lo que nos esperaba en tierra
—pero sabíamos que nos estaba esperando y por eso no im-
portaba tanto—, el tiempo que se compone justamente en el
peor momento y zas la avioneta de reconocimiento, nada que
hacerle, a vadear la ciénaga o lo que fuera con el agua hasta
las costillas buscando el abrigo de los sucios pastizales, de los
mangles, y yo como un idiota con mi pulverizador de adrenalina para poder seguir adelante, con Roberto que me llevaba
el Springfield para ayudarme a vadear mejor la ciénaga (si era
una ciénaga, porque a muchos ya se nos había ocurrido que
a lo mejor habíamos errado el rumbo y que en vez de tierra
firme habíamos hecho la estupidez de largarnos en algún cayo
fangoso dentro del mar, a veinte millas de la isla…); y todo
así, mal pensado y peor dicho, en una continua confusión de

actos y nociones, una mezcla de alegría inexplicable y de rabia contra la maldita vida que nos estaban dando los aviones y lo que nos esperaba del lado de la carretera si llegábamos alguna vez, si estábamos en una ciénaga de la costa y no dando vueltas como alelados en un circo de barro y de total fracaso para diversión del babuino en su Palacio.

Ya nadie se acuerda cuánto duró, el tiempo lo medíamos por los claros entre los pastizales, los tramos donde podían ametrallarnos en picada, el alarido que escuché a mi izquierda, lejos, y creo fue de Roque (a él le puedo dar su nombre, a su pobre esqueleto entre las lianas y los sapos), porque de los planes ya no quedaba más que la meta final, llegar a la Sierra y reunirnos con Luis si también él conseguía llegar; el resto se había hecho trizas con el norte, el desembarco improvisado, los pantanos. Pero seamos justos: algo se cumplía sincronizadamente, el ataque de los aviones enemigos. Había sido previsto y provocado: no falló. Y por eso, aunque todavía me doliera

en la cara el aullido de Roque, mi maligna manera de entender el mundo me ayudaba a reírme por lo bajo (y me ahogaba todavía más, y Roberto me llevaba el Springfield para que yo pudiese inhalar adrenalina con la nariz casi al borde del agua, tragando más barro que otra cosa), porque si los aviones estaban ahí entonces no podía ser que hubiéramos equivocado la playa, a lo sumo nos habíamos desviado algunas millas, pero la carretera estaría detrás de los pastizales, y después el llano abierto y en el norte las primeras colinas. Tenía su gracia que el enemigo nos estuviera certificando desde el aire la bondad del desembarco.

Duró vaya a saber cuánto, y después fue de noche y éramos seis debajo de unos flacos árboles, por primera vez en terreno casi seco, mascando tabaco húmedo y unas pobres galletas. De Luis, de Pablo, de Lucas, ninguna noticia; desperdigados, probablemente muertos, en todo caso tan perdidos y mojados como nosotros. Pero me gustaba sentir cómo con el fin de esa jornada de batracio se me empezaban a ordenar las ideas, y cómo la muerte, más probable que nunca, no sería ya un balazo al azar en plena ciénaga, sino una operación dialéctica en seco, perfectamente orquestada por las partes en juego. El ejército debía controlar la carretera, cercando los pantanos a la espera de que apareciéramos de a dos o de a tres, liquidados por el barro y las alimañas y el hambre. Ahora todo se veía clarísimo, tenía otra vez los puntos cardinales en el bolsillo, me hacía reír sentirme tan vivo y tan despierto al borde del epílogo. Nada podía resultarme más gracioso que hacer rabiar a Roberto recitándole al oído unos versos del viejo Pancho que le parecían abominables. «Si por lo menos nos pudiéramos sacar el barro», se quejaba el Teniente. «O fumar de verdad» (alguien, más a la izquierda, ya no sé quién, alguien que se perdió al alba). Organización de la agonía: centinelas, dormir por turnos, mascar tabaco, chupar galletas infladas como esponjas. Nadie mencionaba a Luis, el temor de que lo hubieran matado era el único enemigo real, porque su confirmación nos anularía mucho más que el acoso, la falta de armas o las llagas en los pies. Sé que dormí un rato mientras Roberto velaba, pero antes estuve pensando que todo lo que habíamos hecho en esos días era demasiado insensato para admitir así de golpe la posibilidad de que hubieran matado a Luis. De alguna manera la insensatez tendría que continuar hasta el final, que quizá fuera la victoria, y en ese juego absurdo donde se había llegado hasta el escándalo de prevenir al enemigo que desembarcaríamos, no entraba la posibilidad de perder a Luis. Creo que también pensé que si

triunfábamos, que si conseguíamos reunirnos otra vez con Luis, sólo entonces empezaría el juego en serio, el rescate de tanto romanticismo necesario y desenfrenado y peligroso. Antes de dormirme tuve como una visión: Luis junto a un árbol, rodeado por todos nosotros, se llevaba lentamente la mano a la cara y se la quitaba como si fuese una máscara. Con la cara en la mano se acercaba a su hermano Pablo, a mí, al Teniente, a Roque, pidiéndonos con un gesto que la aceptáramos, que nos la pusiéramos. Pero todos se iban negando uno a uno, y yo también me negué, sonriendo hasta las lágrimas, y entonces Luis volvió a ponerse la cara y le vi un cansancio infinito mientras se encogía de hombros y sacaba un cigarro del bolsillo de la guayabera. Profesionalmente hablando, una alucinación de la duermevela y la fiebre, fácilmente interpretable. Pero si realmente habían matado a Luis durante el desembarco, ¿quién subiría ahora a la Sierra con su cara? Todos trataríamos de subir pero nadie con la cara de Luis, nadie que pudiera o quisiera asumir la cara de Luis. «Los diádocos —pensé ya entredormido—. Pero todo se fue al diablo con los diádocos, es sabido».

Aunque esto que cuento pasó hace rato, quedan pedazos y momentos tan recortados en la memoria que sólo se pueden decir en presente, como estar tirado otra vez boca arriba en el pastizal, junto al árbol que nos protege del cielo abierto. Es la tercera noche, pero al amanecer de ese día franqueamos la carretera a pesar de los jeeps y la metralla. Ahora hay que esperar otro amanecer porque nos han matado al baqueano y seguimos perdidos, habrá que dar con algún paisano que nos lleve adonde se pueda comprar algo de comer, y cuando digo

ENRIQUE · BRECCIA

comprar casi me da risa y me ahogo de nuevo, pero en eso
como en lo demás a nadie se le ocurriría desobedecer a Luis,
y la comida hay que pagarla y explicarle antes a la gente
quiénes somos y por qué andamos en lo que andamos. La cara
de Roberto en la choza abandonada de la loma, dejando cinco
pesos debajo de un plato a cambio de la poca cosa que encon-
tramos y que sabía a cielo, a comida en el Ritz si es que ahí
se come bien. Tengo tanta fiebre que se me va pasando el asma,
no hay mal que por bien no venga, pero pienso de nuevo en
la cara de Roberto dejando los cinco pesos en la choza vacía,
y me da un tal ataque de risa que vuelvo a ahogarme y me
maldigo. Habría que dormir, Tinti monta la guardia, los muchachos descansan unos contra otros, yo me he ido un poco más

lejos porque tengo la impresión de que los fastidio con la tos y los silbidos del pecho, y además hago una cosa que no debería hacer, y es que dos o tres veces en la noche fabrico una pantalla de hojas y meto la cara por debajo y enciendo despacito el cigarro para reconciliarme un poco con la vida.

En el fondo lo único bueno del día ha sido no tener noticias de Luis, el resto es un desastre, de los ochenta nos han matado por lo menos a cincuenta o sesenta; Javier cayó entre los primeros, el Peruano perdió un ojo y agonizó tres horas sin que yo pudiera hacer nada, ni siquiera rematarlo cuando los otros no miraban. Todo el día temimos que algún enlace (hubo tres con un riesgo increíble, en las mismas narices del ejército) nos trajera la noticia de la muerte de Luis. Al final es mejor no

saber nada, imaginarlo vivo, poder esperar todavía. Fríamente
peso las posibilidades y concluyo que lo han matado, todos
sabemos cómo es, de qué manera el gran condenado es capaz
de salir al descubierto con una pistola en la mano, y el que
venga atrás que arree. No, pero López lo habrá cuidado,
no hay como él para engañarlo a veces, casi como a un chico,
convencerlo de que tiene que hacer lo contrario de lo que le
da la gana en ese momento. Pero y si López... Inútil quemarse
la sangre, no hay elementos para la menor hipótesis, y además
es rara esta calma, este bienestar boca arriba como si todo
estuviera bien así, como si todo se estuviera cumpliendo (casi
pensé: «consumando», hubiera sido idiota) de conformidad
con los planes. Será la fiebre o el cansancio, será que nos van
a liquidar a todos como a sapos antes de que salga el sol. Pero
ahora vale la pena aprovechar de este respiro absurdo, dejarse
ir mirando el dibujo que hacen las ramas de árbol contra el
cielo más claro, con algunas estrellas, siguiendo con ojos entor-
nados ese dibujo casual de las ramas y las hojas, esos ritmos
que se encuentran, se cabalgan y se separan, y a veces cambian
suavemente cuando una bocanada de aire hirviendo pasa
por encima de las copas, viniendo de las ciénagas. Pienso en
mi hijo pero está lejos, a miles de kilómetros, en un país donde
todavía se duerme en la cama, y su imagen me parece irreal,
se me adelgaza y pierde entre las hojas del árbol, y en cambio
me hace tanto bien recordar un tema de Mozart que me ha
acompañado desde siempre, el movimiento inicial del cuarteto
La caza, la evocación del halalí en la mansa voz de los violines,
esa trasposición de una ceremonia salvaje a un claro goce
pensativo. Lo pienso, lo repito, lo canturreo en la memoria, y

siento al mismo tiempo cómo la melodía y el dibujo de la copa
del árbol contra el cielo se van acercando, traban amistad, se
tantean una y otra vez hasta que el dibujo se ordena de pronto
en la presencia visible de la melodía, un ritmo que sale de
una rama baja, casi a la altura de mi cabeza, remonta hasta
cierta altura y se abre como un abanico de tallos, mientras el
segundo violín es esa rama más delgada que se yuxtapone para
confundir sus hojas en un punto situado a la derecha, hacia
el final de la frase, y dejarla terminar para que el ojo descienda
por el tronco y pueda, si quiere, repetir la melodía. Y todo
eso es también nuestra rebelión, es lo que estamos haciendo
aunque Mozart y el árbol no puedan saberlo, también nosotros
a nuestra manera hemos querido trasponer una torpe guerra
a un orden que le dé sentido, la justifique y en último término
la lleve a una victoria que sea como la restitución de una melodía después de tantos años de roncos cuernos de caza, que
sea ese allegro final que sucede al adagio como un encuentro
con la luz. Lo que se divertiría Luis si supiera que en este
momento lo estoy comparando con Mozart, viéndolo ordenar
poco a poco esta insensatez, alzarla hasta su razón primordial
que aniquila con su evidencia y su desmesura todas las pru-
dentes razones temporales. Pero qué amarga, qué desesperada
tarea la de ser un músico de hombres, por encima del barro
y la metralla y el desaliento urdir ese canto que creíamos
imposible, el canto que trabará amistad con la copa de los árboles, con la tierra devuelta a sus hijos. Sí, es la fiebre. Y cómo
se reiría Luis aunque también a él le guste Mozart, me consta.

Y así al final me quedaré dormido, pero antes alcanza-
ré a preguntarme si algún día sabremos pasar del movimiento

donde todavía suena el halalí del cazador, a la conquistada
plenitud del adagio y de ahí al allegro final que me canturreo
con un hilo de voz, si seremos capaces de alcanzar la recon-
ciliación con todo lo que haya quedado vivo frente a nosotros.
Tendríamos que ser como Luis, no ya seguirlo, sino ser
como él, dejar atrás inapelablemente el odio y la venganza,
mirar al enemigo como lo mira Luis, con una implacable
magnanimidad que tantas veces ha suscitado en mi memoria
(pero esto, ¿cómo decírselo a nadie?) una imagen de panto-
crátor, un juez que empieza por ser el acusado y el testigo y
que no juzga, que simplemente separa las tierras de las aguas
para que al fin, alguna vez, nazca una patria de hombres en
un amanecer tembloroso, a orillas de un tiempo más limpio.

Pero otra que adagio, si con la primera luz se nos vinieron encima por todas partes, y hubo que renunciar a seguir hacia el noreste y meterse en una zona mal conocida, gastando las últimas municiones mientras el Teniente con un compañero se hacía fuerte en una loma y dcsdc ahí les paraba un rato las patas, dándonos tiempo a Roberto y a mí para llevarnos a Tinti herido en un muslo y buscar otra altura más protegida donde resistir hasta la noche. De noche ellos no atacaban nunca, aunque tuvieran bengalas y equipos eléctricos, les entraba como un pavor de sentirse menos protegidos por el número y el derroche de armas; pero para la noche faltaba casi todo el día, y éramos apenas cinco contra esos muchachos tan valientes que nos hostigaban para quedar bien con el babuino, sin contar los aviones que a cada rato picaban en los claros del monte y estropeaban cantidad de palmas con sus ráfagas.

A la media hora el Teniente cesó el fuego y pudo rcunirse con nosotros, que apenas adelantábamos camino. Como nadie pensaba en abandonar a Tinti, porque conocíamos de sobra el destino de los prisioneros, pensamos que ahí, en esa ladera y en esos matorrales íbamos a quemar los últimos cartuchos. Fue divertido descubrir que los regulares atacaban en cambio una loma bastante más al este, engañados por un error de la aviación, y ahí nomás nos largamos cerro arriba por un sendero infernal, hasta llegar en dos horas a una loma casi pelada donde un compañero tuvo el ojo de descubrir una cueva tapada por las hierbas, y nos plantamos resollando después de calcular una posible retirada directamente hacia el norte, de peñasco en peñasco, peligrosa, pero hacia el norte, hacia la Sierra donde a lo mejor ya habría llegado Luis.

Mientras yo curaba a Tinti desmayado, el Teniente me dijo que poco antes del ataque de los regulares al amanecer había oído un fuego de armas automáticas y de pistolas hacia el poniente. Podía ser Pablo con sus muchachos, o a lo mejor

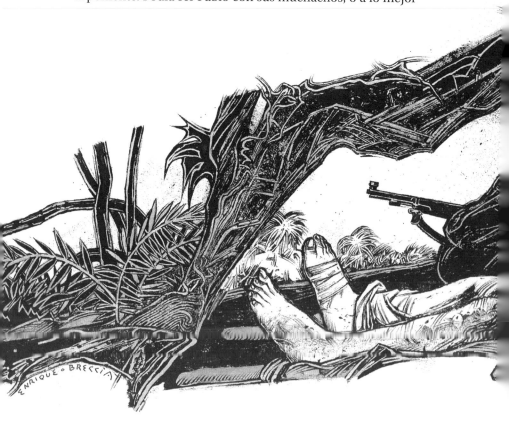

el mismo Luis. Teníamos la razonable convicción de que los sobrevivientes estábamos divididos en tres grupos, y quizás el de Pablo no anduviera tan lejos. El Teniente me preguntó si no valdría la pena intentar un enlace al caer la noche.

—Si vos me preguntás eso es porque te estás ofreciendo para ir —le dije. Habíamos acostado a Tinti en una cama de hierbas secas, en la parte más fresca de la cueva, y fumábamos descansando. Los otros dos compañeros montaban guardia afuera.

—Te figuras —dijo el Teniente, mirándome divertido—. A mí estos paseos me encantan, chico.

Así seguimos un rato, cambiando bromas con Tinti que empezaba a delirar, y cuando el Teniente estaba por irse entró Roberto con un serrano y un cuarto de chivito asado. No lo podíamos creer, comimos como quien se come a un fantasma, hasta Tinti mordisqueó un pedazo que se le fue a las dos horas junto con la vida. El serrano nos traía la noticia de la muerte de Luis; no dejamos de comer por eso, pero era mucha sal para tan poca carne, él no lo había visto aunque su hijo mayor, que también se nos había pegado con una vieja escopeta de caza, formaba parte del grupo que había ayudado a Luis y a cinco compañeros a vadear un río bajo la metralla, y estaba seguro de que Luis había sido herido casi al salir del agua y antes de que pudiera ganar las primeras matas. Los serranos habían trepado al monte que conocían como nadie, y con ellos dos hombres del grupo de Luis, que llegarían por la noche con las armas sobrantes y un poco de parque.

El Teniente encendió otro cigarro y salió a organizar el campamento y a conocer mejor a los nuevos; yo me quedé al lado de Tinti que se derrumbaba lentamente, casi sin dolor. Es decir que Luis había muerto, que el chivito estaba para chuparse los dedos, que esa noche seríamos nueve o diez hombres y que tendríamos municiones para seguir peleando. Vaya novedades. Era como una especie de locura fría que por un lado reforzaba al presente con hombres y alimentos, pero todo eso para borrar de un manotazo el futuro, la razón de esa insensatez que acababa de culminar con una noticia y un gusto a chivito asado. En la oscuridad de la cueva, haciendo

· ENRIQUE · BRECCIA ·

durar largo mi cigarro, sentí que en ese momento no podía
permitirme el lujo de aceptar la muerte de Luis, que solamente
podía manejarla como un dato más dentro del plan de cam-
paña, porque si también Pablo había muerto el jefe era yo por
voluntad de Luis, y eso lo sabían el Teniente y todos los compañeros, y no se podía hacer otra cosa que tomar el mando y
llegar a la Sierra y seguir adelante como si no hubiera pasado
nada. Creo que cerré los ojos, y el recuerdo de mi visión
fue otra vez la visión misma, y por un segundo me pareció que
Luis se separaba de su cara y me la tendía, y yo defendí mi
cara con las dos manos diciendo: «No, no, por favor no, Luis»,

y cuando abrí los ojos el Teniente estaba de vuelta mirando
a Tinti que respiraba resollando, y le oí decir que acababan de
agregársenos dos muchachos del monte, una buena noticia
tras otra, parque y boniatos fritos, un botiquín, los regulares
perdidos en las colinas del este, un manantial estupendo a
cincuenta metros. Pero no me miraba en los ojos, mascaba el
cigarro y parecía esperar que yo dijera algo, que fuera yo el
primero en volver a mencionar a Luis.

Después hay como un hueco confuso, la sangre se fue
de Tinti y él de nosotros, los serranos se ofrecieron para ente-
rrarlo, yo me quedé en la cueva descansando aunque olía
a vómito y a sudor frío, y curiosamente me dio por pensar en
mi mejor amigo de otros tiempos, de antes de esa cesura en
mi vida que me había arrancado a mi país para lanzarme
a miles de kilómetros, a Luis, al desembarco en la isla, a esa
cueva. Calculando la diferencia de hora imaginé que en ese
momento, miércoles, estaría llegando a su consultorio, col-
gando el sombrero en la percha, echando una ojeada al correo.
No era una alucinación, me bastaba pensar en esos años en
que habíamos vivido tan cerca uno de otro en la ciudad, com-
partiendo la política, las mujeres y los libros, encontrándonos
diariamente en el hospital; cada uno de sus gestos me era
tan familiar, y esos gestos no eran solamente los suyos sino
que abarcaban todo mi mundo de entonces, a mí mismo, a mi
mujer, a mi padre, abarcaban mi periódico con sus editoriales
inflados, mi café a mediodía con los médicos de guardia, mis
lecturas y mis películas y mis ideales. Me pregunté qué estaría
pensando mi amigo de todo esto, de Luis o de mí, y fue como
si viera dibujarse la respuesta en su cara (pero entonces era la

fiebre, habría que tomar quinina), una cara pagada de sí
misma, empastada por la buena vida y las buenas ediciones y
la eficacia del bisturí acreditado. Ni siquiera hacía falta que
abriera la boca para decirme yo pienso que tu revolución no
es más que... No era en absoluto necesario, tenía que ser así,
esas gentes no podían aceptar una mutación que ponía en
descubierto las verdaderas razones de su misericordia fácil y
a horario, de su caridad reglamentada y a escote, de su bon-
homía entre iguales, de su antirracismo de salón pero cómo
la nena se va a casar con ese mulato, che, de su catolicismo
con dividendo anual y efemérides en las plazas embanderadas,
de su literatura de tapioca, de su folklorismo en ejemplares
numerados y mate con virola de plata, de sus reuniones
de cancilleres genuflexos, de su estúpida agonía inevitable a
corto o largo plazo (quinina, quinina, y de nuevo el asma).
Pobre amigo, me daba lástima imaginarlo defendiendo como
un idiota precisamente los falsos valores que iban a acabar
con él o en el mejor de los casos con sus hijos; defendiendo
el derecho feudal a la propiedad y a la riqueza ilimitadas, él
que no tenía más que su consultorio y una casa bien puesta,
defendiendo los principios de la Iglesia cuando el catolicismo
burgués de su mujer no había servido más que para obligarlo
a buscar consuelo en las amantes, defendiendo una supuesta
libertad individual cuando la policía cerraba las universida-
des y censuraba las publicaciones, y defendiendo por miedo,
por el horror al cambio, por el escepticismo y la desconfianza
que eran los únicos dioses vivos en su pobre país perdido. Y
en eso estaba cuando entró el Teniente a la carrera y me gritó
que Luis vivía, que acababan de cerrar un enlace con el norte,

que Luis estaba más vivo que la madre de la chingada, que había llegado a lo alto de la Sierra con cincuenta guajiros y todas las armas que les habían sacado a un batallón de regulares copado en una hondonada, y nos abrazamos como idiotas y dijimos esas cosas que después, por largo rato, dan rabia y vergüenza y perfume, porque eso y comer chivito asado y echar para adelante era lo único que tenía sentido, lo único que contaba y crecía mientras no nos animábamos a mirarnos en los ojos y encendíamos cigarros con el mismo tizón, con los ojos clavados atentamente en el tizón y secándonos las lágrimas que el humo nos arrancaba de acuerdo con sus conocidas propiedades lacrimógenas.

Ya no hay mucho que contar, al amanecer uno de nuestros serranos llevó al Teniente y a Roberto hasta donde estaban Pablo y tres compañeros, y el Teniente subió a Pablo en brazos porque tenía los pies destrozados por las ciénagas. Ya éramos veinte, me acuerdo de Pablo abrazándome con su manera rápida y expeditiva, y diciéndome sin sacarse el cigarrillo de la boca: «Si Luis está vivo, todavía podemos vencer», y yo vendándole los pies que era una belleza, y los muchachos tomándole el pelo porque parecía que estrenaba zapatos blancos y diciéndole que su hermano lo iba a regañar por ese lujo intempestivo. «Que me regañe —bromeaba Pablo fumando como un loco—, para regañar a alguien hay que estar vivo, compañero, y ya oíste que está vivo, vivito, está más vivo que un caimán, y vamos arriba ya mismo, mira que me has puesto vendas, vaya lujo…». Pero no podía durar, con el sol vino el plomo de arriba y abajo, ahí me tocó un balazo en la oreja que si acierta dos centímetros más cerca, vos, hijo, que a lo mejor leés todo esto,

te quedás sin saber en las que anduvo tu viejo. Con la sangre
y el dolor y el susto las cosas se me pusieron estereoscópicas,
cada imagen seca y en relieve, con unos colores que debían ser
mis ganas de vivir y además no me pasaba nada, un pañuelo
bien atado y a seguir subiendo; pero atrás se quedaron dos
serranos, y el segundo de Pablo con la cara hecha un embudo
por una bala cuarenta y cinco. En esos momentos hay tonte-
rías que se fijan para siempre; me acuerdo de un gordo, creo
que también del grupo de Pablo, que en lo peor de la pelea
quería refugiarse detrás de una caña, se ponía de perfil, se
arrodillaba detrás de la caña, y sobre todo me acuerdo de ése
que se puso a gritar que había que rendirse, y de la voz que le
contestó entre dos ráfagas de Thompson, la voz del Teniente,
un bramido por encima de los tiros, un: «¡Aquí no se rinde
nadie, carajo!», hasta que el más chico de los serranos, tan
callado y tímido hasta entonces, me avisó que había una senda
a cien metros de ahí, torciendo hacia arriba y a la izquierda,
y yo se lo grité al Teniente y me puse a hacer punta con los
serranos siguiéndome y tirando como demonios, en pleno
bautismo de fuego y saboreándolo que era un gusto verlos, y
al final nos fuimos juntando al pie de la ceiba donde nacía el
sendero y el serranito trepó y nosotros atrás, yo con un asma
que no me dejaba andar y el pescuezo con más sangre que
un chancho degollado, pero seguro de que también ese día
íbamos a escapar y no sé por qué, pero era evidente como un
teorema que esa misma noche nos reuniríamos con Luis.

Uno nunca se explica cómo deja atrás a sus perseguidores,
poco a poco ralea el fuego, hay las consabidas maldiciones y
«cobardes, se rajan en vez de pelear», entonces de golpe es el

ENRIQUE·BRESCIA

silencio, los árboles que vuelven a aparecer como cosas vivas y amigas, los accidentes del terreno, los heridos que hay que cuidar, la cantimplora de agua con un poco de ron que corre de boca en boca, los suspiros, alguna queja, el descanso y el cigarro, seguir adelante, trepar siempre aunque se me salgan los pulmones por las orejas, y Pablo diciéndome oye, me los hiciste del cuarenta y dos y yo calzo del cuarenta y tres, compadre, y la risa, lo alto de la loma, el ranchito donde un paisano tenía un poco de yuca con mojo y agua muy fresca, y Roberto, tesonero y concienzudo, sacando sus cuatro pesos para pagar el gasto y todo el mundo, empezando por el paisano, riéndose hasta herniarse, y el mediodía invitando a esa siesta que había que rechazar como si dejáramos irse a una muchacha preciosa mirándole las piernas hasta lo último.

Al caer la noche el sendero se empinó y se puso más que difícil, pero nos relamíamos pensando en la posición que había elegido Luis para esperarnos, por ahí no iba a subir ni un gamo. «Vamos a estar como en la iglesia —decía Pablo a mi lado—, hasta tenemos el armonio», y me miraba zumbón mientras yo jadeaba una especie de passacaglia que solamente a él le hacía gracia. No me acuerdo muy bien de esas horas, anochecía cuando llegamos al último centinela y pasamos uno tras otro, dándonos a conocer y respondiendo por los serranos, hasta salir por fin al claro entre los árboles donde estaba Luis apoyado en un tronco, naturalmente con su gorra de interminable visera y el cigarro en la boca. Me costó el alma quedarme atrás, dejarlo a Pablo que corriera y se abrazara con su hermano, y entonces esperé que el Teniente y los otros fueran también y lo abrazaran, y después puse en el suelo el

botiquín y el Springfield y con las manos en los bolsillos me
acerqué y me quedé mirándolo, sabiendo lo que iba a decirme,
la broma de siempre:

—Mira que usar esos anteojos —dijo Luis.

—Y vos esos espejuelos —le contesté, y nos doblamos
de risa, y su quijada contra mi cara me hizo doler el balazo
como el demonio, pero era un dolor que yo hubiera querido
prolongar más allá de la vida.

—Así que llegaste, che —dijo Luis.

Naturalmente, decía «che» muy mal.

—¿Qué tú crees? —le contesté igualmente mal. Y volvi-
mos a doblarnos como idiotas, y medio mundo se reía sin
saber por qué. Trajeron agua y las noticias, hicimos la rueda
mirando a Luis, y sólo entonces nos dimos cuenta de cómo
había enflaquecido y cómo le brillaban los ojos detrás de los
jodidos espejuelos.

Más abajo volvían a pelear, pero el campamento estaba
momentáneamente a cubierto. Se pudo curar a los heridos,
bañarse en el manantial, dormir, sobre todo dormir, hasta
Pablo que tanto quería hablar con su hermano. Pero como
el asma es mi amante y me ha enseñado a aprovechar la
noche, me quedé con Luis apoyado en el tronco de un árbol,
fumando y mirando los dibujos de las hojas contra el cielo,
y nos contamos de a ratos lo que nos había pasado desde
el desembarco, pero sobre todo hablamos del futuro, de lo
que iba a empezar cuando llegara el día en que tuviéramos
que pasar del fusil al despacho con teléfonos, de la sierra
a la ciudad, y yo me acordé de los cuernos de caza y estuve a
punto de decirle a Luis lo que había pensado aquella noche,

ENRIQUE BRECCIA

· ENRIQUE · BRECCIA ·

nada más que para hacerlo reír. Al final no le dije nada, pero
sentía que estábamos entrando en el adagio del cuarteto,
en una precaria plenitud de pocas horas que sin embargo
era una certidumbre, un signo que no olvidaríamos. Cuántos
cuernos de caza esperaban todavía, cuántos de nosotros
dejaríamos los huesos como Roque, como Tinti, como el
Peruano. Pero bastaba mirar la copa del árbol para sentir que
la voluntad ordenaba otra vez su caos, le imponía el dibujo
del adagio que alguna vez ingresaría en el allegro final,
accedería a una realidad digna de ese nombre. Y mientras
Luis me iba poniendo al tanto de las noticias internacionales
y de lo que pasaba en la capital y en las provincias, yo veía
cómo las hojas y las ramas se plegaban poco a poco a mi
deseo, eran mi melodía, la melodía de Luis que seguía hablando ajeno a mi fantaseo, y después vi inscribirse una estrella
en el centro del dibujo, y era una estrella pequeña y muy
azul, y aunque no sé nada de astronomía y no hubiera podido
decir si era una estrella o un planeta, en cambio me sentí
seguro de que no era Marte ni Mercurio, brillaba demasiado
en el centro del adagio, demasiado en el centro de las pala-
bras de Luis como para que alguien pudiera confundirla con
Marte o con Mercurio.

. . .

©2007, Herederos de Julio Cortázar, 1966
©2007, de las ilustraciones: Enrique Breccia
©2007-2012, de esta edición: Libros del Zorro Rojo
Barcelona – Buenos Aires – Ciudad de México
www.librosdelzorrorojo.com

Proyecto:
Alejandro García Schnetzer

Edición:
Marta Ponzoda Álvarez

Esta obra es una realización de Libros del Zorro Rojo

Dirección editorial:
Fernando Diego García

Dirección de arte:
Sebastián García Schnetzer

ISBN: 978-84-96509-73-3   Depósito Legal: B-10440-2012

Primera edición: abril de 2012
Primera reimpresión: septiembre de 2017

Impreso en España
por Unigraf, s.l.

No se permite la reproducción total
o parcial de este libro, ni su transmisión en cualquier forma o
por cualquier medio, sin el permiso previo y por escrito de los titulares
del *copyright*. La infracción de los derechos mencionados
puede ser constitutiva de delito contra
la propiedad intelectual.

El derecho a utilizar la marca «Libros del Zorro Rojo»
corresponde exclusivamente a las siguientes empresas:
albur producciones editoriales s.l.
y LZR Ediciones s.r.l.

★